Elisabeth Mollema

En de winnaar is ...

met tekeningen van

Monique Beijer

Op de cd staat een korte leesinstructie bij dit boek.
Daarna leest de auteur het eerste hoofdstuk voor.
Kijk op de cd welk nummer bij dit boek hoort.

Achter in het boek zijn leestips opgenomen voor ouders.

Boeken met dit vignet zijn op niveaubepaling geregistreerd
en gecontroleerd door KPC Groep te 's-Hertogenbosch.

1e druk 2007

ISBN 978.90.276.7326.8
NUR 286/282

Illustraties: Monique Beijer
Leestips: Marion van der Meulen
Vormgeving: Natascha Frensch
Typografie Read Regular: copyright © Natascha Frensch 2001 – 2006
Uitgeverij Zwijsen B.V. Tilburg

Voor België:
Zwijsen-Infoboek, Meerhout
D/2007/1919/202

i-pod

Carl

Dirk

pianomuziek

Roos

computer

jury

Inhoud

1. Dirk

Hallo allemaal, ik zal me eerst even voorstellen.
Ik heet Adriaan en mijn broer heet Hannes.
We zijn allebei tien jaar en geboren op dezelfde dag.
'Een tweeling!' roep je nu vast.
Nee, dat zijn we niet.
Het zit zo: mijn moeder is een jaar geleden getrouwd met de vader van Hannes.
Mijn echte vader woont in het buitenland.
De moeder van Hannes is doodgegaan toen hij vier was.
We zijn dus geen echte tweeling.
Hannes is veel groter dan ik.
Hij heeft donkere krullen.
Ik heb blond haar en een bril.

Nu hebben we een nieuw gezin.
We zijn met z'n zevenen: Hannes en ik.
Mijn moeder Carla en de vader van Hannes.
Hij heet Jaap.
We hebben een babyzusje.
Zij heet Roos.
Dan is er ook nog onze poes Lola.
En onze hond Dirk.
En over hem gaat dit verhaal.

2. De wedstrijd

Een paar dagen geleden haalde Hannes een folder uit de brievenbus.
Hij holde naar me toe en riep: 'Dirk wordt beroemd!'
Ik begreep natuurlijk niet meteen wat hij bedoelde.
Hij liet me de folder zien.
Ik las de tekst hardop:

'Op 4 oktober is het Werelddierendag.
In de sportzaal aan de Eikenlaan wordt een spannende wedstrijd gehouden.
De verkiezing van de leukste hond van de stad.
Win honderd euro voor jou en je hond!'

Ik keek Hannes aan en vroeg: 'Bedoel je dat wij Dirk laten meedoen?'
Hannes knikte.
Ik keek naar Dirk die aan mijn voeten zat.
'Dirk?' herhaalde ik verbaasd.
Ik betwijfelde of hij die hondenwedstrijd zou winnen.
Dirk is erg braaf, hoor.
Maar toen ik hem voor het eerst zag, dacht ik: zo'n lelijke hond heb ik nog nooit gezien.
Sinds die tijd noem ik hem voor de grap: het driekleurige monster.
Driekleurig, omdat zijn vacht bruin en wit met zwarte

stippels is.
Hannes zag mijn twijfel.
'Er staat dat de léúkste hond wint.
Dat is niet hetzelfde als de mooiste hond.'
Ik dacht er even over na en riep toen: 'Je hebt gelijk, we doen mee!'

Hannes was blij dat we gingen meedoen met de hondenwedstrijd.
Hij aaide Dirk over zijn kop en riep: 'Jij gaat winnen, jongen, jij maakt ons rijk!'
'Ho, ho, zo makkelijk zal dat niet gaan!' riep ik.
'We moeten eerst eens goed bedenken hoe we het gaan aanpakken.'
'Wat bedoel je?' vroeg Hannes.
'Je moet je afvragen wat een leuke hond is.'
'Nou, gewoon ...' begon Hannes, 'eh... ik weet het niet.'
'Een leuke hond kan kunstjes doen!' zei ik.
Hannes trok een somber gezicht.
'Dirk kent geen kunstjes.
Hij kan een pootje geven, maar alleen als je een stuk worst voor zijn neus houdt.
Dat is vast niet genoeg.'
'Dan gaan we beginnen met hem kunstjes te leren,' riep ik.
Ik klapte in mijn handen.
'Kom op, Dirk, aan het werk!
We hebben nog maar een paar dagen de tijd.'

3. Kunstjes

Toen we de volgende dag uit school kwamen, lag Dirk
in zijn mand.
Zo te zien, sliep hij diep.
'Dirk, koekjes!' riep Hannes en Dirk werd meteen wakker.
'Het is het enige wat hem in beweging brengt,' zei
Hannes.
'Dat komt goed uit, want dan kunnen we hem op die
manier kunstjes leren,' zei ik.
'Zullen we naar buiten gaan?
In de tuin hebben we meer ruimte.'

We gingen met Dirk in het midden van het grasveld
staan.
'Zullen we met een makkelijke opdracht beginnen?'
vroeg ik.
Hannes was het daarmee eens.
'Dirk, let op!' riep ik.
Ik had een hondenkoekje in mijn hand en zei: 'Zit!'
Dirk staarde naar het hondenkoekje.
'Hij snapt het niet,' zei Hannes.
Ik riep nog een keer: 'Dirk, zit!'
'Misschien moet je het voordoen.'
Hannes riep zit! tegen mij.
Daarna aaide hij mij over mijn hoofd en gaf mij een
hondenkoekje.

Zogenaamd dan, want ik lust die dingen niet.
Het werkte niet.
Dirk keek boos, omdat hij dacht dat ik zijn koekje opat.

'We moeten iets anders verzinnen,' zei ik.
Hannes wees naar Dirk die nu opeens wel ging zitten.
'Geef hem gauw dat hondenkoekje!'
'Braaf!' riepen we allebei, terwijl we hem om zijn nek vlogen.
Na een tijdje begreep Dirk dat hij een hondenkoekje kreeg als we zit! riepen.
Maar Hannes zuchtte: 'Er zijn een heleboel honden die veel meer kunnen!'
'We moeten niet te snel opgeven,' zei ik.
'Dirk begrijpt nu dat hij een hondenkoekje krijgt als hij iets doet.'
Ik dacht er even over na: 'Een pootje geven kan hij al.
We moeten hem een bijzonder kunstje leren.
Iets wat andere honden niet kunnen.'

Ik dacht lang na, terwijl Hannes met spanning afwachtte.
'Ik weet het!' riep ik, 'we gaan Dirk leren zingen!'
'Zingen?' herhaalde Hannes, 'een hond leren zingen?
Dat is onmogelijk!'
Ik schudde mijn hoofd.
'Je weet toch wat er gebeurt als mijn moeder piano speelt.
Dirk gaat dan zitten janken als een wolf.

Als we hem zo ver krijgen dat hij het bij die hondenwedstrijd doet, weet ik zeker dat hij opvalt. Dat bedoel ik met zingen.'

4. De zingende hond

Hannes vond het een supergaaf idee om Dirk te laten zingen.
'Ik haal meteen mijn **i-pod** en dan zetten we er **pianomuziek** op.
Daarna zetten we de koptelefoon op Dirks kop.
Ik ben benieuwd of het lukt.'
Hij rende weg.
Het duurde even voor hij terugkwam.
'Ik heb meteen **pianomuziek** van de **computer** gehaald.'
Hij hield zijn **i-pod** omhoog.
'Het staat erop, we kunnen beginnen!'

Maar Dirk lag alweer in zijn mand.
'Aan het werk!' riep ik.
Hij bewoog niet en bleef doorslapen.
'Koekjes, Dirk!' riep ik en dat hielp.
Dirk stapte uit zijn mand en sjokte naar ons toe.
We zetten de koptelefoon op zijn kop.
We maakten de **i-pod** vast aan zijn riem en deden de muziek aan.
Dirk schrok zich rot.
Hij maakte een gek sprongetje en rende weg.
'Hier, Dirk!' riep ik.
Hij hoorde me natuurlijk niet door die koptelefoon.
Dirk kroop onder de tafel en gooide zijn snuit in de lucht.

Toen begon hij te janken, eerst zachtjes, daarna steeds harder.
'Oewoe... oewoewoe... oewoewoe...!'
Het klonk als een echt lied, een hondenlied dan wel te verstaan.
'Het werkt, het werkt!' riep Hannes blij en hij klapte in zijn handen.
'Hij gaat vast winnen!
Onze hond is de leukste hond van Nederland!' riep hij.
Hij maakte een vreugdedans door de kamer.

5. In het bad

Hannes was er helemaal van overtuigd dat Dirk de hondenwedstrijd ging winnen.
'Rustig nou even!' zei ik, want ik was er nog niet zo zeker van.
'Er zijn een heleboel honden die iets bijzonders kunnen. We moeten zorgen dat Dirk er op zijn best uitziet.'
Ik snoof de lucht op: Dirk rook niet al te fris.
Hij rook als een hond die een halfjaar niet is gewassen.
'Een sopje kan geen kwaad!' riep ik, 'Dirk moet in het bad!'

Het kostte wel even moeite om Dirk stil te krijgen.
Want hij had nog steeds de koptelefoon op.
En zong aan één stuk door zijn hondenlied.
Pas nadat we zes hondenkoekjes in zijn bek hadden gemikt, lukte het om hem stil te krijgen.

We zetten een badje in de tuin en gooiden het vol met warm water.
Dirk was alweer in zijn mand gekropen.
Het kostte onwijs veel moeite om hem de tuin in te lokken.
Hij houdt namelijk niet zo van in bad gaan.
Zelfs toen we 'koekjes' riepen, kwam hij niet.
Hannes besloot hem dan maar naar buiten te dragen.

Dirk verstijfde van schrik toen hij in het bad werd gezet.
'Pas op dat hij er niet uit springt!' riep ik.
Terwijl Hannes Dirk stevig vasthield, zeepte ik hem goed in.
Daarna spoelde ik het schuim weg.
'Laat hem maar los!' zei ik tegen Hannes.
Dirk sprong uit het water en schudde zich uit.
Het water vloog in het rond.
Toen rende hij naar de andere kant van de tuin en verdween onder een struik.

Hannes en ik gooiden het bad leeg en ruimden de boel op.
Pas toen merkten wij dat er iets misging.
'Kijk nou eens!' riep Hannes.
Hij wees naar de struik waaronder Dirk was verdwenen.
De kluiten vlogen in het rond.
'O, nee!' riep ik wanhopig.
We renden ernaartoe en keken onder de struik.
Dirk had een gat gegraven en was erin gaan liggen.
Hij zat helemaal onder de aarde.
'Een kroket op pootjes!' riep Hannes lachend.
'Ja, leuk, al het werk is voor niks geweest,' zei ik.
'Nu moeten we hem weer wassen.'
'Deze keer doen we het op de snelle manier,' zei Hannes.
Hij liep weg en kwam terug met de tuinslang.

Dirk vond die koude waterstraal maar niks.

'Eigen schuld, dikke bult!' zei Hannes, terwijl hij de modder afspoot.
Toen Dirk weer schoon was, namen we hem mee naar binnen.
De dagen erna zorgden we dat hij niet alleen de tuin in ging.
Intussen lieten we Dirk oefenen met zingen.

6. De grote dag

Toen brak de dag van de verkiezing aan.
We gingen op weg naar de zaal waar de hondenwedstrijd was.
Bij de ingang stond een rij met mensen en hun honden.
Zoveel verschillende honden hadden Hannes en ik nog nooit gezien.
Ik zag kleine, grote, dikke en dunne honden.
Honden met lange oren en met korte, met veel haar of helemaal kaal.
Ze waren er ook in allerlei kleuren: wit, bruin, zwart en beige.
In één kleur, met vlekken, met stippels en zelfs met strepen.
Hannes wees ernaar: 'Kijk, die hond lijkt op een zebra!'

Er werd geblaft, gekeft, gegromd en gejankt.
Dirk werd er een beetje bang van.
Hij kroop weg tussen onze benen.
Er kwam een grote hond aan, die onder de staart van Dirk begon te snuffelen.
Dat vond Dirk niet zo prettig.
Opeens voelde ik een ruk aan de riem en roetsj ....
Dirk ging ervandoor.
'Pak hem!' riep ik tegen Hannes.
We renden achter hem aan.

Nog net zagen we hem door een deur naar binnen glippen.

We probeerden achter hem aan naar binnen te gaan.
Maar de mensen in de rij riepen boos: 'Hé, voorpiepers, achter aansluiten graag!'
We baalden als een stekker.
Het duurde nog zeker een halfuur voor we bij de ingang waren.
Pas toen ontdekten we dat we een kaartje moesten kopen.
Terwijl we naar binnen gingen, zei Hannes verontwaardigd: 'En we hebben niet eens een hond om mee te doen met de wedstrijd.'
'Ik hoop dat we hem kunnen vinden,' zei ik, 'anders is al het werk voor niks geweest.'

7. Allemaal leuke honden

Hannes en ik liepen de zaal in op zoek naar Dirk.
Het was er heel druk, er was binnen nog meer herrie dan buiten.
'Die arme Dirk is precies de verkeerde kant op gevlucht,' zuchtte ik.
'Hij heeft nu vast helemaal de zenuwen met al die blaffende honden.
Want hij kan helemaal niet tegen herrie.
Hij heeft zich natuurlijk goed verstopt.
Als we hem nog maar op tijd vinden!'

De mensen stonden met hun hond bij andere honden van hetzelfde ras.
Ze wachtten op een sein om met hun hond op te treden voor de **jury**.
De labradors stonden bij de labradors.
Poedels bij poedels.
Herdershonden bij herdershonden.
Teckels bij teckels.
En nog veel meer rassen waarvan ik de naam niet kende.
'Daar staan de buldogs!' riep Hannes opeens.
'Misschien is Dirk daar!'
(Dirk is namelijk ook een buldog.)
Er stonden wel twintig buldogs in alle maten en kleuren, vrouwtjes en mannetjes.

Ik zag meteen dat Dirk er niet bij stond.
Er was er namelijk niet eentje die drie kleuren had.
Teleurgesteld liepen we verder.

Aan de rand van de zaal waren allemaal kraampjes.
Daar kon je iets kopen, bijvoorbeeld hondenvoer of hondenriemen.
Bij eentje kon je zelfs hondenkleren kopen.
Hannes wees naar een jasje met rode hartjes erop.
Het was van plastic, dus zeker bedoeld tegen de regen.
'Stel je voor dat we Dirk zoiets aantrekken!
Dan zou hij voor gek lopen!'
'Kan ik jullie helpen?' vroeg een vrouw met blond haar.
'Nee, we kijken alleen maar,' antwoordde ik.
'We zoeken onze hond.
Hebt u misschien een driekleurige buldog gezien?'
De vrouw dacht even na.
'Eh... ja,' begon ze, 'een eindje verderop staan er wel twintig.'
Hannes zuchtte: 'Ja, dat weten we, maar ze zijn niet driekleurig.'
'Sorry!' zei de vrouw.

We liepen verder en bleven staan bij een kraam waar je je hond kon laten knippen.
Een vrouw met rood haar gaf een **demonstratie**.
We keken hoe een hond werd geknipt.
De hond stond op een tafel.

Het was een witte poedel
Hij had een grote toef op zijn kop.
En ook een toef aan elk van zijn poten.
En een toef aan het einde van zijn staart.
Rond zijn schouders zat een soort bontjasje.
Op de rest van zijn lijf was het haar weggeschoren.
Het was geen gezicht!
De poedel keek ons wanhopig aan.
We liepen maar gauw verder.

We zochten overal naar Dirk: onder tafels en achter schermen die opgesteld stonden.
We zochten zelfs in de wc's.
We vroegen aan iedereen of ze een driekleurige buldog hadden gezien.
Maar niemand kon ons helpen.

Toen werd er omgeroepen dat de wedstrijd begon.
'De labradors zijn eerst aan de beurt!' zei Hannes.
We bleven even staan kijken.
In het midden van de zaal was een open ruimte.
Om de beurt moesten de honden met hun baasje een rondje lopen en daarna een kunstje doen.
Sommige konden op hun achterpoten zitten.
Een hond bewoog zijn voorpoot alsof hij zwaaide.
Er was een hond die door een brandend hoepeltje sprong.

We hielden onze adem in, stel je voor dat hij in brand was gevlogen.
Er was niet één hond die kon zingen.
'Dirk zou zeker opvallen met zijn hondenlied,' zei Hannes.
Ik knikte en ik baalde dat we Dirk nergens konden vinden.
We liepen maar gauw verder.

Een eindje verderop werden de honden gekeurd.
De **jury** bestond uit twee vrouwen en een man.
Ze bekeken de honden nauwkeurig.
Ze keken in hun bek, trokken aan hun oren en knepen in hun lijf.
De honden vonden er, zo te zien, niets aan.
Ze hadden allemaal hun staart tussen hun poten.

8. Spoorloos

Terwijl we naar de keuring van de honden stonden te kijken, klonk er opeens muziek.
Pianomuziek om precies te zijn.
In het midden van de zaal verscheen een karretje getrokken door vier honden.
Op de muziek maakten ze een rondje.
Dat deden ze nog een paar keer.
'Dat is best een leuk kunstje,' zei Hannes.
Ik knikte en tegelijk baalde ik weer dat wij Dirk maar niet konden vinden.
Zijn kunstje was misschien wel leuker.
Opeens hoorden we een hond janken.
'Dat is Dirk!' riep Hannes.
We keken rond, maar zagen hem niet.
'Vlug!' riep Hannes, 'als de muziek stopt, houdt Dirk ook op met janken!
Ik denk dat hij daar ergens moet zitten!'
Hij wees naar de kraampjes.
We renden op het geluid van onze zingende hond af.

'Opzij, opzij!' riepen we tegen de mensen die bij de kraampjes stonden.
We zochten overal: onder de kraampjes, tussen de kraampjes, achter de kraampjes.
Intussen jankte Dirk maar door.

Hij moest ergens in de buurt zitten.
We zochten en zochten, maar konden hem nergens vinden.
Het was onbegrijpelijk.

Toen hield de muziek op en stopte Dirk met janken.
'O, nee, waar zit dat stomme beest toch?' vroeg Hannes wanhopig.
We hoorden honden blaffen.
Dirk was natuurlijk heel erg bang en daarom had hij zich ergens verstopt.
We zochten nog even verder, maar we vonden hem niet.
'Ik stop ermee!' riep Hannes uit, 'hij is gewoon spoorloos.
Misschien is hij inmiddels wel het gebouw uit gevlucht.
Dan kunnen we blijven zoeken.'
Net wilde ik zeggen dat ik het ook opgaf, toen de muziek weer begon.
Nog geen seconde later hoorden we Dirk opnieuw janken.

9. Ontsnapt

We keken in de richting van het geluid van de jankende hond.
Opeens zag ik Dirk achter een kraam staan, verstopt tussen een paar dozen.
'Daar, kom op, vlug erheen!' riep ik.
Hannes en ik renden naar de kraam waarachter Dirk stond.
We duwden de mensen opzij.
De eigenaar riep: 'Hé, wat moet dat?
Kunnen jullie even op je beurt wachten?
Gewoon achter aansluiten, graag!'
'We willen alleen onze hond maar pakken!' riep ik.
Ik probeerde langs de eigenaar van de kraam te komen.
'Wat zei ik nou?' riep de eigenaar van de kraam.
'Heb je soms poep in je oren?
Op je beurt wachten!'
'Wij willen niets kopen, wij willen alleen onze hond terug!' riep Hannes.
De man werd boos, want hij vond het niet leuk dat een kind zo tegen hem deed.
'Grote mond, grote mond?' riep hij.
'Ik verkoop geen honden, ik verkoop hondenvoer!
Hoor je me?'

Door alle drukte werd Dirk nog banger en hij rende weer weg.

Daarbij lette hij niet op waar hij liep.
Hij stootte een mand met hondenspeeltjes om en daarna een zak met hondenvoer.
De inhoud rolde over de grond.
De man zag wat er gebeurde en riep: 'Hé, stop!'
Dirk luisterde natuurlijk niet.
'Dit is jullie schuld!' riep hij tegen ons, 'wegwezen!'
Intussen kwamen andere honden op de geur van het voedsel af.
Ze begonnen ervan te vreten.
Een zwarte hond pakte een speeltje.
Het was een grote, rubberen kluif.
Bij elke knauw die de zwarte hond in de kluif gaf, piepte het ding.
Andere honden vonden dat ook wel een leuk speeltje.
Ze probeerden de rubberen kluif van de zwarte hond af te pakken.
Dat wilde de zwarte hond natuurlijk niet.
Hij gromde en de andere honden gromden ook.
Opeens ontstond er een gevecht.
Mensen probeerden de ruzie te sussen, er werd geblaft en geschreeuwd.
Er werd van alles door elkaar geroepen: 'Hier komen, Boris!'
'Stop daarmee, Wodan!'
'Af, Rikkie!'
'Zit, Joep!'
Het hielp allemaal niks.

Mensen riepen van alles door elkaar.
Tegen ons, tegen de eigenaar van de kraam en natuurlijk tegen hun honden.
Maar die trokken zich er niets van aan.
Ze gingen er met alle speeltjes vandoor en de baasjes renden achter hen aan.

Een mevrouw probeerde de boel te sussen: 'Rustig, rustig, wat is er allemaal aan de hand?'
'Wij wilden alleen onze hond maar pakken, maar van die man mocht het niet,' zei Hannes.
'Het is zijn eigen schuld dat alles omver is gegooid.'
'Eigen schuld!' riep de man, 'het is jullie schuld!'
'Rustig nou, meneer!' zei de mevrouw op kalme toon.
'Ik probeer hier de boel juist te sussen.'
Ze keek naar mij en Hannes.
'Jullie zijn je hond kwijt, begrijp ik dat goed?'
We knikten.
'En jullie dachten dat jullie hem hadden gevonden?'
We knikten weer.
'Maar nu zijn we onze hond weer kwijt en is ons plan helemaal mislukt.
We dachten nog wel dat we zo'n goede kans maakten om de hondenwedstrijd te winnen.'
De mevrouw zag onze teleurstelling en vroeg: 'Hoe ziet jullie hond eruit?
We kunnen laten omroepen dat mensen naar hem uitkijken.'

Hannes beschreef Dirk: 'Hij is bruin en wit met zwarte stippels.
Het is een mannetje en het is een buldog.
Als er muziek klinkt, gaat hij janken, vooral als het **pianomuziek** is.'
De mevrouw moest er wel een beetje om lachen.
Ze zei: 'Ik zal laten omroepen of mensen naar jullie hond uitkijken.
Als ze hem vinden, moeten ze hem naar mij brengen.'
Ze wees naar een tafel aan de andere kant van de zaal.
'Ik ben Anne-Marie!'
Ze gaf ons een hand.
We zeiden ook hoe wij heetten.
'Ik ben van de **organisatie**.
Gaan jullie maar ergens zitten.
Hier hebben jullie een bon om iets te drinken te halen.'
Ze gaf ons ieder een bonnetje.
'Zodra ik hem heb, roep ik jullie namen om, afgesproken?'
We knikten en bedankten de mevrouw.

10. Hond gevonden

Met de bon haalden we een flesje cola.
Daarmee gingen we ergens in een hoekje zitten wachten.
Intussen keken we rond.
Overal liepen baasjes met hun honden.
Er werd geblaft en gegromd.
'Moet je die herrie horen,' zei Hannes.
'Zolang al die beesten hier rondlopen, laat Dirk zich niet zien.'
Ik knikte: 'Dat denk ik ook.
Hij is gewoon heel bang, daarom verstopt hij zich steeds.
Ik denk dat hij pas tevoorschijn komt als iedereen weg is.'
'Ja, maar dan is de hondenwedstrijd voorbij,' zei Hannes.
'Jammer, al het werk is voor niks geweest!'
We hoorden hoe werd omgeroepen om naar onze hond uit te kijken.
'*Er is een buldog zoek.*
Hij is bruin en wit met zwarte stippels!
Graag terugbrengen bij de **organisatie**!'

Vol spanning wachtten we of Anne-Marie óns daarna zou omroepen.
Want dat betekende dat Dirk was gevonden.
Maar er gebeurde niks.
'We moeten hier blijven tot iedereen weg is,' zei Hannes.
Ik knikte: 'Ja, balen, onze hele dag verpest.'

Opeens hoorden we dat onze namen werden omgeroepen.
'Hannes en Adriaan!' klonk het door de zaal.
'Ik herhaal: Hannes en Adriaan!
Willen jullie je melden bij de **organisatie**!*'*
Hannes sprong op.
'Kom mee, ze hebben Dirk gevonden!
Als het zo is, kan hij nog met de hondenwedstrijd meedoen!'
We renden naar de andere kant van de zaal.
Naar de tafel die Anne-Marie ons had gewezen.

Anne-Marie zag ons al aankomen.
Ze zwaaide en riep: 'Ik heb hem, hoor!'
'Ze heeft hem!' riep Hannes hijgend van het rennen tegen mij.
'Ja, ik heb ook oren!' riep ik terug.
Toen we bij Anne-Maries tafel waren, wees ze naar de hond die bij haar voeten zat.
'Dit is hem toch, hè?
Precies zoals jullie hem hebben beschreven: bruin en wit met zwarte stippels.
En het is een buldog!'
We staarden naar de hond.
'Dat is Dirk niet!' riep Hannes teleurgesteld uit.
'O, nee?' zei Anne-Marie geschrokken.
'Het is toch een buldog?'
'Ja, het is wel een buldog,' antwoordde ik.
Anne-Marie keek weer naar de hond bij haar voeten.

‘En hij is ook bruin en wit met zwarte stippels.’
‘Ja, dat ook, maar dit is een vrouwtje,’ zei ik.
Anne-Marie keek naar de onderkant van de hond.
‘Ja, je hebt gelijk zeg!
Daar had ik nog niet naar gekeken.
Van wie is deze hond dan?’
We haalden onze schouders op.
‘Dan zal de eigenaar wel ongerust zijn,’ zei Anne-Marie.
‘Want nou is hij zijn hond kwijt.
Wacht, ik roep het meteen om.’
Ze pakte een **microfoon** en riep:
‘Er is een buldog gevonden.
Hij is bruin en wit met zwarte stippels!
Graag ophalen bij de **organisatie***!*
Dank u wel!’

Een meneer die vlakbij stond, zei: ‘Wat een vreemd gedoe.
Eerst roepen jullie om dat er zo’n hond zoek is.
En als hij gevonden is, roepen jullie om dat er een hond is gevonden.
Is dit een oefening of zo?’
Anne-Marie legde uit dat het geen oefening was, maar dat wij onze hond kwijt waren.
De man knikte en zei: ‘Ik begrijp het.
Als ik hem zie, zal ik hem bij u brengen.’

Wij liepen maar verder, teleurgesteld omdat we Dirk weer niet te pakken hadden.

11. De modeshow

In het midden van de zaal begon een **modeshow**, niet voor mensen, maar voor honden.
We vonden het erg grappig.
'Kijk daar eens, die herdershond heeft een petje op!' riep Hannes.
'Nee, dan die teckel met een bontjas!' zei ik.
'Dat is helemaal geen gezicht.
Als Dirk er zo uitzag, liet ik hem nooit meer uit.'
We lachten ons suf om al die rare hondenkleding.
We zagen een hond met een zwembroek en eentje met een zonnebril op.
Er was zelfs een hond met bontlaarsjes aan.
En ook een witte hond met een skipak.
Het was zo dik dat hij bijna niet kon lopen.

Toen riep Hannes: 'O, kijk, daar loopt een hond met dat regenjasje met rode hartjes erop.
Dat zagen we liggen in een kraam.
En kijk eens wat hij op zijn kop heeft!
Een bijpassend regenhoedje, ook met rode hartjes!
Zeker om zijn kop tegen de regen te beschermen!
Geen gezicht, zeg!'
Ik knikte: 'Best zielig voor die hond om in die kleren te moeten lopen.'
Een mevrouw liep een rondje met de hond.

Zo te zien had hij er niet veel zin in.
Het leek wel of hij ook een beetje bang was.
Hij had zijn staart tussen zijn poten.
De vrouw moest hem aan de riem meetrekken.
Ik keek en keek nog eens, en toen stootte ik Hannes aan.
'Hé, die hond lijkt op Dirk!'

Hannes keek ook.
'Ik kan het niet zo goed zien door dat gekke regenpakje.'
Opeens klonk er weer muziek.
De hond met het regenjasje keek op.
Hij rukte zich los en rende naar het midden van de zaal.
Daar ging hij zitten janken.
'Vlug, het is hem!' riep Hannes.
Hij wilde naar hem toe rennen.
Maar ik hield hem tegen.

Ik zag de mensen in het publiek kijken.
Ze hielden hun adem in.
Sommigen hadden een glimlach op hun gezicht.
Ook de honden van de **modeshow** reageerden.
Eerst begon de herdershond met het petje op.
Hij gooide zijn kop in de lucht en jankte mee.
De herdershond bracht een laag geluid voort.
Het klonk als een misthoorn.
'Awoehoe... awoehoe... awoehoe...!'
Toen volgde ook de teckel met het bontjasje aan.
Zij gooide haar kopje in de lucht en begon te janken.

Zij bracht een hoog geluid voort.
'Awiehie... awiehie... awiehie...!'
De een na de andere hond volgde.
De hond met de zwembroek aan, en die met de zonnebril op.
De hond met de bontlaarsjes aan, en ten slotte de witte hond die het skipak aanhad.

Allemaal stonden ze te janken, en allemaal op een andere toon.
'Awoehoe... awoehoe... awoehoe...!'
'Awiehie... awiehie... awiehie...!'
'Awehe... awehe... awehe...!'
'Awaha... awaha... awaha...!'
'Awoho... awoho... awoho...!'
Het was net een orkest.

De mensen begonnen te joelen van plezier.
Ze gingen staan en klapten in hun handen.
Dat moedigde het hondenorkest nog meer aan.
Het was echt heel leuk om te zien en te horen.

12. De winnaar is ...

Toen stopte de muziek en hielden de honden op.
De show ging verder.
De honden liepen een rondje met hun begeleider om de kleren aan de **jury** te laten zien.
In het midden was een plek waar ze een voor een moesten stoppen.
Eerst de herdershond met het petje op.
Een man met een **microfoon** in zijn hand riep: 'Dit is Wodan.
Het petje dat hij draagt, is in drie maten verkrijgbaar.
Klein, **medium** en groot.'
Daarna ging de teckel met het bontjasje in het midden staan.
'Dit is Miep.
Haar bontjas is niet van echt bont gemaakt.
Maar hij is van kunststof.
De bontjas is ook verkrijgbaar in drie maten: klein, **medium** en groot.'
De mensen klapten.

De andere honden moesten een voor een in het midden staan.
Dan riep de man met de **microfoon** iets om over de kleren die ze droegen.
Aan het eind was Dirk aan de beurt.

De mensen in het publiek gingen staan.
Ze klapten en juichten hem toe.
Dirk snapte er niet zoveel van.
We zagen dat hij een beetje bang werd van al die herrie.
Hannes en ik hielden onze adem in.
De mensen in het publiek bleven klappen en roepen.
'O, o, als dat maar goed gaat!' zei Hannes zacht.
De man met de **microfoon** riep: 'En de winnaar is ...'
Iedereen was opeens stil.
'De winnaar is deze buldog!'
De man boog zich naar de vrouw die Dirk begeleidde.
'Hoe heet uw hond?' fluisterde de man.
Maar iedereen kon het horen, want zijn **microfoon** stond nog aan.
'Dirk!' riepen Hannes en ik tegelijk, 'hij heet Dirk en het is onze hond!'

En zo kwam het dat Dirk toch nog won.
Wij kregen honderd euro en Dirk mocht het regenpak houden.
Hij is er heel trots op.
Steeds als we hem gaan uitlaten, rent hij naar de gang.
Hij wil pas mee als we hem het pak aantrekken.

Jaap wil Dirk nu niet meer uitlaten en mijn moeder ook niet.
'Wij gaan niet voor gek lopen,' zeiden ze.
'Het was jullie idee om aan die hondenwedstrijd mee

te doen,' zei mijn moeder.
'Dus laten jullie hem dan nu ook maar uit.'

We doen het wel, maar lopen stiekem een paar meter achter Dirk.

Lees ook de andere boeken uit deze serie.

De tas
Dirk Nielandt

Vreemde smokkelaars
Christel van Bourgondië

Het raadsel
van de rode ruit
Monique van der Zanden

Superheld!
Trude de Jong

Tips voor ouders

Gefeliciteerd!

Uw kind is dyslectisch en heeft dit boek uitgekozen om te gaan lezen. Dat is al een hele prestatie!
Want voor kinderen met dyslexie is lezen meestal niet leuk. Zij moeten veel meer en vaker oefenen om het lezen onder de knie te krijgen. En alle boeken die zij ooit willen lezen, zijn voor hen moeilijker dan voor een gemiddelde lezer.

Wat kinderen met dyslexie helpt is:

- **lezen, lezen en nog eens lezen!**

En dat is alleen maar leuk als ze:

- **leuke boeken lezen op een niveau dat voor hen geschikt is.**

U, als ouders of begeleiders kunt deze kinderen helpen door:
* **veel leuke verhalen voor te lezen**
* **samen te lezen (bijvoorbeeld om de beurt een bladzijde)**
* **ze te laten luisteren naar leuke luisterboeken**
* **het kind altijd aan te moedigen om te lezen**

Lezen is een feest. Naast alle dingen die uw kind leuk vindt om te doen, is altijd plaats om samen tien minuten te lezen, bijvoorbeeld tien minuten later naar bed en eerst nog even samen lezen!

Hoe werkt Zoeklicht Dyslexie?

1. Luister naar de audio-cd en kijk naar de eerste bladzijden van het boek. *Op de cd worden de hoofdpersonen voorgesteld en worden de moeilijke woorden uit het verhaal voorgelezen.*
2. Luister naar het eerste stukje van het verhaal dat op de audio-cd wordt voorgelezen. *Je weet dan al een beetje hoe het verhaal gaat en als het spannend wordt, ga je zelf verder met lezen.*
3. Ga het verhaal nu lezen. *Als je vetgedrukte woorden tegenkomt, dan weet je dat dat een moeilijk woord is dat op de flap staat. Blijven deze woorden heel moeilijk, luister dan nog een keer naar het eerste stukje van de audio-cd waarop ze worden voorgelezen.*

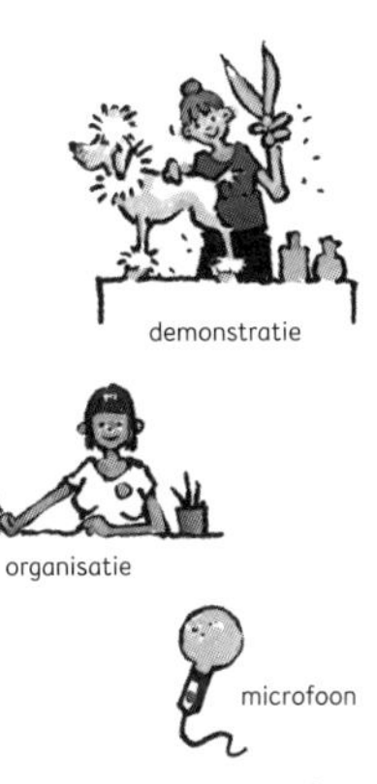

4. Alle boeken uit de serie Zoeklicht Dyslexie hebben een speciale letter voor dyslectische kinderen. Zo wordt lezen nog fijner.

Naam: *Elisabeth Mollema*
Ik woon met: *mijn man en mijn hond.*
Dit doe ik het liefst: *schrijven.*
Dit eet ik het liefst: *gezond.*
Het leukste boek vind ik: *Madelief van Guus Kuijer.*
Mijn grootste wens is: *dat alle kinderen gelukkig zijn.*

Naam: *Monique Beijer*
Ik woon met: *mezelf*
Dit doe ik het liefst: *met vrienden iets maken, zoals een hond.*
Dit eet ik het liefst: *dadels met spek en ook chocolademousse.*
Het leukste boek vind ik: *'De kat van Jan' van Harry Geelen, maar morgen kan het 'Die Wette' zijn van Calvino/Janssen of 'Kleine ezel en de oppas' van R. Kromhout. Het leukste boek verschilt nogal.*
Mijn grootste wens is: *een huis aan zee, op palen, met een veranda, en een Japans bed erin. Maar ook dat kan morgen anders zijn.*

demonstratie

organisatie

microfoon

modeshow

medium